Drôles de rencontres en **Amérique**

Mary Pope Osborne

Traduit et adapté de l'américain
par Marie-Hélène Delval

Illustré par Philippe Masson

ONZIÈME ÉDITION

bayard jeunesse

Léa

Prénom : Léa

Âge : sept ans

Domicile : près du bois de Belleville

Caractère : espiègle et curieuse

Signes particuliers : ne manque jamais une occasion d'entraîner son frère, Tom, dans des aventures mouvementées, sans se soucier du danger.

Drôles de rencontres en Amérique

L'auteur : Mary Pope Osborne a écrit plus de quarante livres pour la jeunesse, récompensés par de nombreux prix. Elle vit à New York avec son mari, Will, et Bailey, un petit terrier à poils longs. Tous trois aiment retrouver le calme de la nature, dans leur chalet en Pennsylvanie.

L'illustrateur : Philippe Masson, né à Rennes en 1965, est issu d'une famille de marins bretons. Actuellement, il vit à Tours avec son amie et ses deux enfants, Lucas et Mona. Il réalise également les dessins de la série Le château magique aux Éditions Bayard.

À Bill, LuAnn, Mickey, et Alan, des amis avec qui je fête Thanksgiving depuis des années.

Titre original : *Thanksgiving on Thursday*
© Texte, 2002, Mary Pope Osborne.
Publié avec l'autorisation de Random House Children's Books,
un département de Random House, Inc., New York, New York, USA.
Tous droits réservés.
Reproduction même partielle interdite.
© 2009, Bayard Éditions
© 2005, Bayard Éditions Jeunesse pour la traduction française
et les illustrations.

Conception: Isabelle Southgate.
Réalisation : Sylvie Lunet.
Colorisation de la couverture ; illustrations de l'arbre, de la cabane
et de l'échelle : Paul Siraudeau.
Loi n° 49 956 du 16 juillet 1949
sur les publications destinées à la jeunesse.
Dépôt légal : septembre 2005 – ISBN : 978 2 7470 1731 2
Imprimé en Allemagne par CPI – Clausen & Bosse

Tom

Prénom : Tom

Âge : neuf ans

Domicile : près du bois de Belleville

Caractère : studieux et sérieux

Signes particuliers : aime beaucoup les livres, qui l'aident à se sortir de situations périlleuses.

Les dix-neuf voyages de Tom et Léa

Tom et Léa ont découvert dans le bois de Belleville, perchée en haut d'un chêne, une cabane pleine de livres. C'est une

cabane magique !

Elle appartient à la fée Morgane, une magicienne et une célèbre bibliothécaire qui voyage à travers le temps et l'espace pour rassembler des livres.

Nos deux jeunes héros ont déjà vécu des **aventures extraordinaires** ! Il leur suffit d'ouvrir un livre, de poser le doigt sur une image en souhaitant se trouver à l'endroit représenté, et ils y sont aussitôt transportés !

Au cours de leurs quatre dernières aventures, Tom et Léa devaient recevoir quatre cadeaux pour délivrer le petit chien, Teddy, d'un mauvais sort.

Les enfants ont sauvé deux jeunes passagers du *Titanic.*

Ils ont assisté à une dangereuse chasse aux bisons.

Ils ont été attaqués par un tigre !

Souviens-toi...

Ils ont sauvé un bébé kangourou.

Nouvelle mission :

découvrir une magie

différente de celle des sorciers

et des magiciens.

Sauront-ils éviter tous les dangers ?

Lis vite les quatre nouveaux
« Cabane Magique » !

★ N° 20 ★
Sur scène !

★ N° 21 ★
Gare aux gorilles !

★ N° 22 ★
Drôles de rencontres en Amérique

★ N° 23 ★
Grosses vagues à Hawaï

Prêt à suivre **Tom** et **Léa**
dans leurs dangereuses aventures ?

Bon voyage !

Résumé du tome 21

★ ★ ★

Après avoir découvert la magie du théâtre, Tom et Léa sont envoyés au cœur de la forêt tropicale africaine ! À peine sont-ils arrivés que la fillette sympathise avec un bébé gorille et joue avec lui, imitant ses mimiques, grimpant dans les arbres... Mais l'aventure tourne vite au cauchemar : un terrible orage sépare les deux enfants. Le lendemain matin, Tom retrouve Léa, sagement endormie sur l'herbe au milieu des gorilles. Tom réussira à approcher sa sœur et à communiquer avec ces « gentils géants » en adoptant le langage des signes.

Un jour de fête

– Tom ? dit Léa. On va au bois ?

– On n'a pas le temps ! Ce soir, on dîne chez Mamie.

– Je sais. Mais je sens que la cabane magique est revenue. Je suis sûre que Morgane nous a laissé une autre comptine !

Quand Léa a ce genre de pressentiment, elle ne se trompe jamais.

– Bon, d'accord ! Seulement, dépêchons-nous !

Tom vérifie si son carnet et son stylo sont bien dans le sac à dos, et il suit sa sœur.

– On va faire un tour, maman ! annonce-t-il en sortant.

– À sept heures, on part chez Mamie ! leur rappelle leur mère.

– Oui, oui !

Les enfants s'élancent. Ils courent tout le long du chemin, jusqu'au bois de Belleville. Ils s'arrêtent bientôt, hors d'haleine, au pied du plus grand chêne.

Au sommet de l'arbre, la cabane les attend.

– Je le savais ! souffle Léa.

Tom empoigne l'échelle de corde et commence à grimper, Léa sur ses talons.

Un rayon de soleil passe par la fenêtre et éclaire l'intérieur de la cabane.

Léa désigne les rouleaux de parchemin

offerts par Shakespeare, et le morceau d'écorce de la forêt africaine :

– Les souvenirs de nos derniers voyages...

– Oui ! Le théâtre, nos amis les gorilles ! C'était magique !

– Et, là, regarde !

Dans un coin est posé un nouveau livre. Un papier dépasse d'entre les pages ; Tom s'en empare :

– C'est bien l'écriture de Morgane !

Il lit à haute voix :

Mes chers enfants,

Je vous souhaite bonne chance pour votre troisième aventure. Voici la comptine qui va vous guider dans votre recherche d'une autre forme de magie :

Quand est fini le dur labeur,

Que la journée touche à sa fin,

On se rassemble, et – quel bonheur ! –

De trois mondes on ne fait plus qu'un !

– Qui se rassemble ? Et de quels mondes s'agit-il ? s'interroge le garçon.

Léa ramasse le livre et l'examine. La couverture représente un panier rempli de fruits et d'épis de maïs.

Le titre annonce : *En Amérique, une fête pour se souvenir.*

– Super ! se réjouit la petite fille. J'adore les fêtes ! Allons-y !

Elle pose le doigt sur l'image et prononce la formule :

– Nous souhaitons être transportés ici !

– Hé ! proteste son frère. Où ça ? Et à quelle époque ?

– On verra bien !

Déjà le vent s'est mis à souffler, la cabane à tourner. Elle tourne plus vite, de plus en plus vite. Elle tourbillonne comme une toupie folle.

Puis tout s'arrête, tout se tait.

Un chien jaune

Tom cligne des yeux. Un soleil éblouissant entre par la fenêtre. L'air est frais et piquant.

Léa est vêtue d'une longue robe protégée par un grand tablier. Un bonnet blanc recouvre ses cheveux.

Tom porte une veste ornée d'un large col, un pantalon court, de hautes chaussettes, des chaussures de cuir et un chapeau. Son sac à dos s'est transformé en besace de toile.

– J'aime bien ton chapeau, dit Léa.

– Et moi, j'aime bien ta robe. Tu ressembles

aux dames du film qu'on a vu à la télé, tu te souviens ?

— L'histoire de ces gens qui partaient pour l'Amérique ?

— Oui, sur un bateau avec un nom de fleur !

Les enfants vont se pencher à la fenêtre.

La cabane s'est posée au sommet d'un grand chêne, à la lisière d'une forêt. Le vent agite les feuillages jaunes et rouges des arbres.

Non loin, on aperçoit un village et, au-delà, la mer.

– On dirait l'endroit où vivaient les gens, dans le film ! s'écrie Tom.

Il feuillette le livre et trouve l'image représentant le village près de la mer. Il lit :

En 1620, un bateau parti d'Angleterre, le « Mayflower », amena en Amérique cent deux passagers. Certains espéraient bâtir une nouvelle vie sur une nouvelle terre.
Les autres désiraient pratiquer leur religion librement, et non à la manière que le roi d'Angleterre leur imposait. On a appelé ces émigrants « les Pèlerins ».

– C'est ça ! Les Pèlerins ! Je me souviens ! s'exclame Léa.

– Oui, et Mayflower, en anglais, ça veut dire « fleur de mai ».

Tom continue la lecture :

Les Pèlerins voulaient s'installer près de New York.
Mais une tempête poussa leur bateau vers le nord. Ils accostèrent sur la côte d'une région qu'on appelle maintenant le Massachusetts.
Six ans plus tôt, un certain John Smith, un capitaine, avait exploré cette côte, et avait nommé l'endroit « Baie de Plymouth ».

– Plymouth ? répète Léa. C'est là que les gens faisaient une grande fête, dans le film, il me semble.

– Tu as raison. Le livre en parle sûrement.

Léa est tout excitée :

– Tu crois qu'on va rencontrer les personnages de cette histoire ? Il y avait une fille, Priscilla. L'actrice qui jouait le rôle était super jolie !

– Oui ! Et un Indien, Squanto ! Et le capitaine... je ne sais plus comment !

– Allons-y ! J'ai hâte de les connaître en vrai !

Léa court vers la trappe, mais son frère la retient par la manche :

– Hé, attends une minute ! Qu'est-ce qu'on va leur dire ?

– Ben... Bonjour ! Et puis...

– Tu es folle ! Ils vont se demander d'où on sort ! Imaginons d'abord un plan !

Tom range le livre dans son sac tout en réfléchissant.

Sa sœur, elle, est déjà sur l'échelle.

– Léa ! Une minute ! Il nous faut...

– Un plan, oui, je sais ! Ça ne nous

empêche pas d'observer le village d'un peu plus près.

Tom la suit en bougonnant :

– Bon, d'accord ! Mais soyons discrets ! Et ne faisons pas de bruit !

Les enfants sortent du bois en marchant prudemment. Les feuilles mortes craquent sous leurs pieds.

Tom souffle :

– Chut ! Cachons-nous derrière ce gros arbre ! On voit très bien, d'ici.

Devant eux s'alignent de petites maisons en rondins aux toits de chaume. Tom consulte le livre.

Il trouve justement un passage décrivant ce village.

Les Pèlerins élevaient des poulets, des oies, des chèvres et des moutons, qu'ils avaient amenés avec eux. Ils avaient également apporté des semences. Mais ils n'auraient sûrement pas survécu sans l'aide d'un Indien appelé Squanto. Il leur a appris à pêcher, à fabriquer des pièges pour attraper du gibier et à faire pousser le maïs, qui n'était pas encore cultivé en Angleterre.

– Bonjour, toi ! murmure Léa.

Tom lève la tête. Sa sœur s'adresse à un grand chien jaune et maigre qui flaire le sol un peu plus loin.

– Chut ! proteste Tom. Il ne faut pas qu'il nous découvre.

– Pourquoi ?

Le chien tourne la tête vers eux et se met à aboyer.

– Voilà pourquoi ! soupire Tom.

Pris au piège

Le chien jaune continue d'aboyer furieusement. Deux hommes sortent d'une maison ; puis d'autres apparaissent, cherchant d'où proviennent les aboiements.

Tom panique :

– Oh, non ! On n'a pas le moindre plan ! Retournons à la cabane, vite !

Il jette le livre dans son sac et s'élance vers le chêne.

À cet instant, quelque chose se referme sur sa cheville.

Une branche se relève brusquement.

Le garçon se sent soulevé dans les airs. Le voilà suspendu par un pied au bout d'une corde !

– AAAAAAH !

– Tom ! hurle Léa.

Le chien bondit autour du captif en jappant. Tom se balance, la tête en bas. Son chapeau, ses lunettes, son sac, tout a dégringolé.

Il dit d'une voix étranglée :

– J'ai posé le pied sur un piège.

– Ne bouge pas, je vais te libérer !

Léa saute pour attraper la corde, mais celle-ci est trop haute.

Des voix s'élèvent, couvrant les aboiements du chien.

Un petit groupe de gens entoure les enfants.

– Le pauvre petit ! s'écrie une femme.

Un homme s'esclaffe :

– On a attrapé un drôle de gibier !

Il chasse le chien d'un coup de pied et

empoigne Tom. Un autre homme coupe la corde avec un couteau. Puis ils reposent le garçon à terre.

Étourdi, Tom titube, s'assied dans les feuilles mortes et frictionne sa cheville endolorie.

– Tiens ! dit Léa en lui tendant ses lunettes, son sac et son chapeau.

– Merci !

Il remet les lunettes sur son nez et découvre la petite foule rassemblée autour d'eux.

Les femmes et les
filles sont vêtues comme
Léa, les hommes et les garçons comme Tom, sauf un. Il a
la peau brune ; ses cheveux noirs
sont tressés et décorés d'une plume.

« Est-ce Squanto ? s'interroge Tom.
L'Indien qui a aidé les Pèlerins ? »

Deux hommes s'avancent, l'un souriant,
l'autre renfrogné.

– Bonjour ! lance le premier. Qui êtes-vous ?

Léa se présente, très à l'aise :

– Je suis Léa. Mon frère s'appelle Tom. Nous sommes ici en amis.

– Bienvenue à la colonie de Plymouth, dit l'homme. Je suis le gouverneur Bradford. Et voici le capitaine Standish.

Le capitaine fixe les enfants, les sourcils froncés. Un long fusil est accroché à son épaule.

– Génial ! s'exclame Léa.

– Génial ? répète le capitaine.

– Oui, oui ! intervient vivement Tom. On a... euh, beaucoup entendu parler de vous.

Léa reprend :

– Est-ce que Priscilla est ici ?

– Chut ! souffle Tom, affolé. Tais-toi !

Une jeune fille s'avance. Elle doit avoir seize ou dix-sept ans :

– Je suis Priscilla.

– Oh ! fait Léa, soudain intimidée. Vous êtes encore plus jolie que l'actrice du film.

– L'actrice de quoi ? demande la jeune fille, interloquée.

Tom se met à rire nerveusement :

– N'écoutez pas ma sœur ! Elle est un peu, euh..., un peu maboule !

– Maboule ?

– Maboule ? murmurent les gens en échangeant des regards perplexes.

– Oui, c'est... enfin..., s'embrouille Tom. C'est un mot qu'on emploie chez nous, et...

– Et où est-ce, chez vous ? l'interroge le capitaine Standish d'une voix sévère.

Tom improvise de son mieux :

– Nous venons d'un village, euh..., d'un village du Nord. Nos parents nous ont envoyés ici pour... hum...

Il se rappelle tout à coup quelque chose qu'il a lu dans le livre :

– Pour apprendre à cultiver le maïs, comme vous !

– Quand êtes-vous arrivés en Amérique ? insiste le capitaine. Sur quel bateau ?

Tom réfléchit à toute allure. Maintenant qu'il s'est lancé dans cette histoire, il faut qu'il continue. Par chance, autre chose lui revient :

– Nous sommes venus avec le capitaine John Smith, déclare-t-il, à l'époque où il explorait la côte. Ma sœur et moi, nous étions tout petits.

– Vraiment ? fait le gouverneur Bradford, intéressé.

Tom hoche la tête d'un air aussi persuasif que possible.

– Et comment s'appellent vos parents ? continue le capitaine.

Tom est bien obligé de répondre :

– Martin. M. et Mme Martin.

Le capitaine Standish interpelle l'Indien :

– Squanto, tu as connu le capitaine Smith, à l'époque. Te souviens-tu d'une famille Martin, avec deux bébés du nom de Tom et Léa ?

Tous les regards se dirigent vers l'homme aux cheveux nattés.

Tom retient son souffle. Que va-t-il répondre ?

L'Indien s'approche des enfants. Il les dévisage l'un après l'autre, longuement. Le cœur de Tom bat à toute vitesse.

Puis Squanto se tourne vers le gouverneur et déclare d'une voix tranquille :

– Oui, je me souviens...

Chasse et pêche

Tom en reste sans voix. « Pourquoi Squanto a-t-il dit ça ? se demande-t-il. Est-ce qu'il nous confond avec d'autres enfants qu'il a connus ? »

L'Indien s'approche en souriant :

– Bonjour, Tom ! Bonjour, Léa !

Le capitaine Standish ne semble pas très convaincu.

Le gouverneur, lui, affiche une mine réjouie :

– Quelle merveilleuse surprise ! Nous sommes heureux de vous accueillir parmi nous : les enfants sont un don de Dieu, d'où qu'ils viennent !

« C'est joli, ce qu'il vient de dire », pense Tom.

À cet instant, un gamin essoufflé surgit en criant :

– Le grand chef Massasoit arrive avec ses quatre-vingt-dix guerriers !

Il désigne une file d'hommes qui longe un champ de maïs.

Le chef marche devant. Son visage est peint en rouge. Il porte une tunique en peau ornée de perles.

– Mon Dieu ! souffle une femme.

– Est-ce que ces Indiens sont... dangereux ? s'inquiète Léa.

– Oh non ! la rassure Priscilla. Nous avons invité le chef Massasoit à notre fête de la moisson. Seulement, nous ne pensions pas qu'il amènerait tous ses hommes avec lui. Il n'y aura pas assez à manger !

Le gouverneur et le capitaine vont discuter un moment avec le chef indien. Quand ils reviennent, le gouverneur explique :

– Les Wampanoag partiront chasser et nous apporteront du gibier. Mais nous devons tout de même fournir un peu plus de nourriture. Priscilla, s'il te plaît, distribue leurs tâches aux enfants !

Hommes et femmes retournent en hâte au village tandis que les gamins se regroupent autour de la jeune fille.

Elle envoie les uns puiser de l'eau. À d'autres elle demande de récolter des légumes dans les potagers, et aux plus grands d'installer davantage de tables sur la place où aura lieu le repas.

Les jeunes Pèlerins s'égaillent dans toutes les directions. Bientôt, il ne reste plus que Tom, Léa et une petite fille portant une grande corbeille.

– Tom, veux-tu oiseler avec ces garçons ? propose Priscilla.

Elle désigne un groupe qui s'éloigne, suivi

par le chien jaune. Tom la regarde avec de grands yeux. « Qu'est-ce qu'elle veut dire ? » pense-t-il.

– C'est que... Je ne sais pas très bien... euh... oiseler !

– Tu ne sais pas chasser les oiseaux ? s'étonne la petite fille. Qu'est-ce que vous mangez, alors ?

– Nous... euh...

– Nous pêchons des poissons, affirme Léa.

« Allons bon ! soupire Tom dans sa tête. Qu'est-ce qu'elle est encore en train d'inventer ! »

– Parfait ! s'exclame Priscilla. En ce cas, je vous charge de rapporter autant d'anguilles que vous le pourrez. Nous aurons près de cent cinquante bouches à nourrir !

Elle prend la corbeille des mains de la petite fille et la tend à Léa.

Puis elle retourne vers le village en lançant :

– À tout à l'heure ! Mary et moi allons aider les cuisinières.

– C'est que..., commence Tom.

Mais Priscilla et sa compagne sont déjà loin.

– Retournons à la cabane ! s'affole Tom.

– Quoi ? proteste Léa. Sûrement pas ! Les Pèlerins ont besoin de nous.

– Mais on ne sait rien faire ! Et Squanto va s'apercevoir qu'il ne nous a jamais vus ! Et le capitaine...

– Ne t'inquiète pas comme ça ! Allez, viens !

Serrant la grande corbeille contre sa

hanche, elle se dirige vers la mer. Tom la suit en traînant les pieds.

Arrivés sur une étroite plage de sable, les enfants s'arrêtent.

De petites vagues viennent mourir à leurs pieds. Des mouettes planent au-dessus de l'eau en criant.

– Je me demande où sont les anguilles, murmure Léa.

– Regardons dans le livre !

Tom sort le volume de son sac, cherche « anguilles » dans l'index. Quand il a trouvé la page, il lit :

Squanto a appris aux Pèlerins
à pêcher l'anguille.
Il leur a montré comment
pousser les poissons sur le sable
humide avec les pieds, puis
comment les attraper à la main.

5

La pêche
aux anguilles

– Ça a l'air amusant, se réjouit sa sœur.

Léa laisse la corbeille sur un rocher, ôte ses chaussures et ses bas. Tenant ses jupes relevées d'une main, elle entre dans l'eau.

Tom range le livre, pose le sac, enlève aussi chaussures et chaussettes, et rejoint sa sœur.

Tous deux pataugent, enfonçant leurs pieds dans le sable.

– Brrrr ! C'est froid ! dit Léa.

Tom remue les orteils, il sent des cailloux et des coquillages. Soudain, il touche quelque chose de lisse :

– Hé ! J'en ai une !

– Où ça ?

– Ici !

Léa s'approche. Ils remuent leurs pieds plus fort.

Une longue forme se faufile devant eux. On dirait un serpent.

Tom l'attrape à deux mains. L'anguille se tortille, sa peau est froide et visqueuse. Tom a beaucoup de mal à la tenir.

Soudain, l'anguille lui échappe et tombe contre la jambe de sa sœur.

– Aaaaah ! glapit celle-ci en sautant en arrière.

Elle s'accroche à Tom ; ils perdent l'équilibre et se retrouvent assis dans l'eau glacée.

– Pauvre anguille ! s'apitoie la petite fille. Elle a eu la frousse de sa vie !

– Tant... tant... tant pis pour les anguilles, bégaie Tom en claquant des dents. On est trempés, on va attraper froid.

Les enfants vont s'asseoir sur un rocher.
Ils secouent les plaques de sable collées à
leurs pieds.

Léa essore sa jupe comme elle peut.

– Notre corbeille est toujours vide, remarque-t-elle. Que font les enfants, ici, d'habitude ?

Tom consulte de nouveau le livre :

Les enfants des Pèlerins travaillaient dur. Ils s'occupaient des animaux, puisaient de l'eau, aidaient à la culture et à la récolte du maïs, ramassaient les citrouilles, les pois et les haricots. Ils chassaient et pêchaient, récoltaient les noix et participaient aux travaux ménagers.

– Eh ben ! soupire-t-il. Nous faisons de drôles d'enfants de Pèlerins !

– Oui. On sait s'occuper de choses plus faciles ; on peut surveiller un plat qui cuit, par exemple. À la maison, à Noël, c'est toujours moi qui surveille la dinde !

– Chez nous, on a un four électrique, ce n'est pas pareil !

À cet instant, une voix les appelle :

– Tom ? Léa ?

Tom se dépêche de ranger le livre dans le sac. Priscilla s'approche.

Sous son bras gauche, elle porte une grosse citrouille ; à son bras droit pend un panier rempli de courges et d'épis de maïs.

– Avez-vous attrapé beaucoup d'anguilles ? lance-t-elle.

6

Chez Priscilla

– Des anguilles ? Euh, non... pas telle-ment..., bredouille Tom.

– On n'en a pêché qu'une seule ! déclare Léa. Mais elle s'est sauvée. Elle n'avait pas envie de mourir.

Priscilla se met à rire :

– Vous êtes particuliers, vous deux ! Vous voilà trempés, vous allez attraper froid. Venez chez moi, vous vous sécherez près du feu.

Tom et Léa remettent leurs bas et leurs chaussures. Tom reprend son sac, Léa se charge de la corbeille vide.

– Je peux mettre quelques courges dans ta corbeille ? lui demande Priscilla.

– Oh, bien sûr !

– Et toi, Tom, tu veux bien porter la citrouille ?

– Ça roule !

– Quoi ?

– Je veux dire... d'accord !

La citrouille est énorme et lourde ; mais Tom est content de ne pas retourner au village les mains vides.

Dans les rues poussiéreuses, des Pèlerins et des Wampanoag vont et viennent. Des femmes cuisent du pain dans des fours, à l'extérieur des maisons. Des jeunes gens installent des planches sur des tonneaux pour improviser des tables.

Mary transporte à deux mains un seau d'eau bien trop lourd pour elle.

Squanto discute avec le chef Massasoit et le gouverneur Bradford en fumant la pipe.

Tom souhaite de toutes ses forces que Mary ne lui pose pas de questions sur la pêche aux anguilles, que Squanto ne lui parle pas du capitaine Smith, et que le gouverneur ne l'interroge pas sur sa famille et son village. Il passe en se cachant le visage derrière la grosse citrouille.

Priscilla conduit les enfants dans une petite maison. Ils pénètrent dans une pièce sombre et enfumée. Seul le feu qui flambe dans la cheminée et un rayon de soleil passant par une étroite fenêtre donnent un peu de lumière.

– Installez-vous devant l'âtre pour faire sécher vos vêtements, dit la jeune fille.

– L'âtre ? répète Léa en regardant autour d'elle.

– La cheminée ! souffle Tom à l'oreille de sa sœur.

Il laisse son sac et la citrouille sur la table ;

Léa pose la corbeille.

L'âtre est si grand que les enfants pour-
raient tenir debout à l'intérieur.

Tous deux s'assoient près du feu, heureux
de sentir une bonne chaleur les envahir.

Un chaudron pend à une crémaillère

au-dessus du foyer. À côté, il y a un grand pot de terre sur un trépied, et une oie qui rôtit, enfilée sur une broche.

Priscilla désigne le pot :

– Tu veux bien remuer la bouillie de maïs, Tom ?

– Bien sûr !

Elle tend au garçon une cuillère de bois à long manche. Il l'enfonce dans la pâte bouillonnante et tourne.

– Je vais chercher des noix, reprend la jeune fille. Pendant ce temps, Léa, tu mettras des racines à cuire dans les cendres, et de l'herbe dans la soupe de poisson !

Léa panique : « Des racines ? De l'herbe ? Qu'est-ce qu'elle veut dire ?

Mais, d'un air assuré, elle répond :

– D'accord !

7

Du bon travail

Dès que Priscilla est sortie, Léa s'écrie :

– Quelles racines ? Quelle herbe ?

– Regardons dans le livre !

Tom cherche le chapitre sur la cuisine et lit :

Les légumes comme les carottes et les navets étaient appelés « racines ».

– Ah bon !

Léa prend quelques carottes dans un panier, les glisse dans les cendres brûlantes.

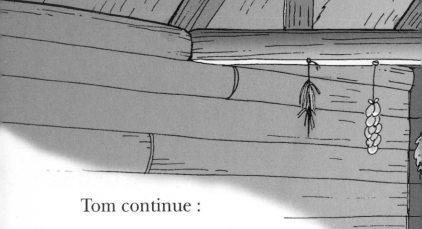

Tom continue :

**Les Pèlerins désignaient
par le mot « herbe »
les légumes à feuilles.
Ils les mangeaient en salade, et
les utilisaient, séchés, pour parfumer
les ragoûts et la soupe de poisson.**

Léa aperçoit des plantes séchées pendues aux poutres. Elle en détache une poignée et les hume :

– Ça sent rudement bon !

– La soupe de poisson est dans le chaudron, dit Tom. Je le devine à l'odeur.

La petite fille émiette les feuilles sèches dans le récipient. Elle prend une cuillère de bois et touille.

– Bon travail ! les félicite Priscilla quand elle revient.

Tom sourit. Il a le visage rougi, la fumée lui pique les yeux, mais il est content de se sentir utile.

– Squanto nous a appris à connaître les baies et les noix, explique la jeune fille. Sans lui, je ne sais pas ce que nous serions devenus. L'hiver dernier a été terrible. Beaucoup de villageois sont morts. La fièvre a emporté mon père, ma mère et mon frère.

Elle se tait, les larmes aux yeux.

Tom et Léa restent silencieux. Pendant un moment, on n'entend plus que le craquement du feu.

Puis Léa passe son bras autour des épaules de Priscilla et dit doucement :

– Nous partageons ton chagrin.

La jeune fille sourit :

– Oui, ce fut un dur hiver. Mais nous n'avons pas perdu espoir. Et maintenant, nous remercions Dieu, parce qu'il nous a donné une bonne récolte, et nous sommes en paix avec nos voisins indiens. C'est pour-quoi nous organisons cette fête aujourd'hui.

Que Priscilla est belle, dans la lumière du feu ! Tom pense qu'il n'a jamais ren-contré de fille aussi belle, aussi bonne et aussi courageuse.

– Venez, dit celle-ci en s'essuyant les yeux. La fête va commencer.

8

Une grande fête

L'oie est bien dorée. Protégeant ses mains avec des torchons, Priscilla la retire de la broche et la dépose sur un plateau de bois.

Tous trois sortent dans la belle lumière de l'automne. De chaque maison, des femmes et des enfants surgissent, apportant des volailles rôties, des langoustes, des anguilles, des palourdes.

Les convives s'assoient joyeusement. Sur les tables fument des pots remplis de citrouille bouillie et de haricots. On coupe en larges tranches des pains de maïs tout chauds.

– Vous voyez, la récolte a été magnifique, cet automne, explique Priscilla. Nous avons stocké beaucoup de légumes, salé du poisson, séché de la viande. Nous avons des provisions pour l'hiver. Et aujourd'hui nos amis Wampanoag ont tué cinq daims pour le festin. Avez-vous faim ?

Tom et Léa hochent la tête. Ces bonnes odeurs leur mettent l'eau à la bouche.

Priscilla les installe à une table où sont déjà assis des Pèlerins et des Indiens. Elle leur donne de grandes serviettes blanches en tissu. Le repas va commencer.

Mais, d'abord, le gouverneur Bradford se lève pour faire un petit discours :

– Nous qui sommes arrivés ici sur le *Mayflower*, nous n'aurions jamais survécu sans l'aide de Squanto et de nos amis indiens.

Aujourd'hui, nous les remercions de tout cœur. Nous remercions Dieu pour la paix qui règne entre nous, et pour avoir béni nos récoltes.

Puis le gouverneur se tourne vers Tom et Léa :

– Bienvenue parmi nous, les enfants ! En ce moment même, nos trois mondes, le vôtre, le nôtre et celui des Wampanoag, ne sont plus qu'un seul !

Léa pousse son frère du coude et lui chuchote :

– Tom ! On a réussi !

– Quoi ?

Le gouverneur noue sa serviette sous son menton et déclare :

– À présent, régalons-nous, jusqu'à ce que nos estomacs soient remplis !

Chacun se sert et commence à manger
dans un joyeux brouhaha. Léa reprend :

– On a réussi, Tom ! On l'a trouvée, la troisième forme de magie ! Tu te rappelles la
comptine de Morgane :

Quand est fini le dur labeur,
Que la journée touche à sa fin,
On se rassemble, et – quel bonheur ! –
De trois mondes on ne fait plus qu'un !

– Oh !

Avec toutes ces aventures, Tom avait oublié la comptine !

– C'est vrai que c'est magique, reconnaît-il. On est tous différents ; pourtant, on est si bien ensemble !

– Oui. On peut rentrer à la maison, maintenant.

– Hé, pas tout de suite ! Mangeons d'abord !

Tom goûte à chaque plat, il veut se rappeler la saveur de chaque chose. Et il trouve tout délicieux ! Même les navets bouillis !

À la fin du repas, Léa se penche vers lui :

– Le titre du livre de Morgane, c'est

Une fête pour se souvenir. Tu crois qu'il s'agit de cette fête-là ?

Tom ouvre son sac, sort le volume et le feuillette discrètement sur ses genoux. Il lit :

Le premier hiver des Pèlerins
dans la baie de Plymouth fut terrible.
Sur les cent deux arrivants,
quarante-six moururent.
L'année suivante, grâce à l'aide
des Wampanoag, la récolte fut
excellente. Pour rendre gloire à Dieu,
le gouverneur décida de faire une fête
de « Thanksgiving », ce qui veut dire
« merci pour ces dons ».
Cette fête devint traditionnelle.
Deux siècles plus tard, le président
des États-Unis d' Amérique, Abraham
Lincoln, proclama que le quatrième
jeudi de novembre serait désormais
la journée nationale de Thanksgiving.

– Tu te rends compte ! souffle-t-il à sa sœur. On vient de participer au premier Thanksgiving d'Amérique !

9

Une belle journée

La fête se termine. Les plats sont vides, et les ventres sont pleins. Les convives s'essuient la bouche et les mains dans leurs grandes serviettes.

Tom et Léa se lèvent.

– Nous allons repartir chez nous, dit la petite fille à Priscilla. Merci pour tout !

Elle embrasse la jeune fille sur les deux joues.

– Oui, merci beaucoup, Priscilla, ajoute Tom.

Il aimerait bien l'embrasser, lui aussi, et

il n'ose pas. C'est elle qui se penche et lui pose un baiser sur la joue :

– Merci à toi, Tom ! Merci à vous deux !

Le garçon devient aussi rouge qu'une langouste cuite !

Léa fait une petite révérence devant le gouverneur :

– Merci de nous avoir accueillis, Monsieur ! Nous devons rentrer à la maison.

La petite Mary surgit alors et s'écrie :

– Ne partez pas ! On ne vous a pas appris à cultiver le maïs !

Squanto s'approche des enfants :

– Je vais raccompagner Tom et Léa jusqu'à la forêt. Je leur expliquerai.

– Oh, merci... Mais, euh... Ne vous donnez pas cette peine ! Nous..., bafouille Tom.

Il a peur, tout à coup. Squanto va s'apercevoir qu'il n'a jamais rencontré leur famille ! Mais l'Indien se contente de sourire.

– Au revoir, tout le monde ! lance Léa en agitant la main.

Tom salue de même. Les Pèlerins et les Indiens leur font de grands signes. Le chien jaune aboie.

Ils quittent le village, Squanto marchant à leur côté. Alors qu'ils longent un champ où tout le maïs a été récolté, l'Indien désigne les tiges desséchées qui bruissent dans le vent :

– On plante le maïs au printemps, dit-il. Il faut mettre les grains en terre lorsque

les bourgeons du chêne ont la taille d'une oreille de souris.

– Oh ! Pas si vite, s'il vous plaît ! l'interrompt Tom. Je vais noter ça.

Il sort son carnet et son crayon, ravi de s'en servir enfin. Il écrit :

Bourgeons du chêne =
oreilles de souris

Squanto continue :

– On creuse des trous, on enfouit deux poissons pourris dedans.

– Berk ! fait Léa.

– Les poissons pourris sont un bon engrais, explique Squanto. Sur les poissons, on pose quatre grains de maïs, et on recouvre de terre.

Tom note en vitesse :

Deux poissons pourris +
quatre grains de maïs

L'Indien tend un petit sac de toile à Léa :

– Voici un peu de maïs. Vous le plante-
rez chez vous.

– Merci !

– Merci beaucoup ! Et au revoir ! dit Tom.

Il a hâte de s'en aller avant que Squanto
les questionne sur leur arrivée en Amérique.
Mais Léa reprend :

– J'ai quelque chose à vous demander,
Squanto. Pourquoi avez-vous répondu au
gouverneur que vous vous souveniez de nous ?

Les yeux de l'Indien pétillent de malice :

– Je n'ai pas répondu ça ! J'ai seulement
dit : « Je me souviens... »

– Et alors ?

– Je me suis souvenu ce que c'était que

d'appartenir à un monde différent. Il y a des années de cela, des hommes sont venus d'Angleterre. J'ai appris leur langue. Ils m'ont proposé de m'emmener dans leur pays, et j'ai accepté. Au bout de quelque temps, j'ai eu envie de revenir chez moi, et j'ai embarqué avec le capitaine Smith. Je n'ai jamais oublié ce que c'est que d'être loin des siens, de se sentir étranger, différent, et d'avoir peur. J'ai lu la même peur dans vos yeux, aujourd'hui, et j'ai voulu vous aider.

Léa sourit et elle murmure :

– Merci, Squanto.

Tom hoche la tête, et il écrit dans son carnet :

Aider ceux qui se sentent différents.

L'Indien lève la main :

– Au revoir, Tom ! Au revoir, Léa !

Et il repart vers le village.

Le soleil se couche, colorant d'orange et de rose la baie de Plymouth.

– Quelle belle journée ! soupire Léa.

Les enfants suivent le chemin jusqu'à la lisière de la forêt. Les feuilles mortes craquent sous leurs pieds. La cabane magique les attend, au sommet du chêne.

Arrivés en haut, ils vont se pencher à la fenêtre. Ils entendent au loin les Pèlerins qui chantent un cantique, accompagnés par les tambours des Indiens.

Puis Léa prend le livre sur le bois de Belleville. Elle pose le doigt sur l'image et déclare :

– Nous souhaitons retourner à la maison !

– Au revoir, Squanto ! dit Tom tout bas. Au revoir, Priscilla !

Le vent s'est mis à souffler, la cabane à tourner. Elle tourne plus vite, de plus en plus vite.

Puis tout s'arrête, tout se tait.

10

Un grand merci

Tom ouvre les yeux. Lui et sa sœur portent leurs vêtements ordinaires. La besace est redevenue sac à dos.

Le rayon de soleil éclaire toujours la cabane. Comme d'habitude, le temps n'a pas passé, en leur absence.

Léa brandit le sachet de maïs :

– Une preuve pour Morgane ! Nous avons découvert une troisième sorte de magie !

– Celle d'être bien ensemble, alors qu'on est différents...

La petite fille va placer le sachet près du

rouleau de parchemin et du morceau d'écorce. Tom sort le livre de son sac et le pose à côté.

Puis tous deux redescendent par l'échelle.

En suivant le sentier du bois, Tom se sent particulièrement heureux. Il va voir sa grand-mère, ce soir. Il y aura aussi ses cousins, son oncle et sa tante. Songeur, il dit :

– Les enfants des Pèlerins avaient une vie bien dure, je trouve !

– C'est vrai, approuve Léa. Ils travaillaient autant que les adultes !

– Oui. Et beaucoup avaient perdu leurs amis ou leurs parents.

Ils restent un moment silencieux.

– Pourtant, reprend Léa, ils savaient remercier, et ne perdaient pas courage. Je me souviendrai d'eux, les jours où j'aurai le cafard.

– Moi aussi ! lui assure Tom.

Et il le pense vraiment.

À suivre

Découvre vite la suite
des aventures de Tom et Léa dans

Grosses vagues
à Hawaï.

La cabane magique

propulse
Tom et Léa

à Hawaï.

Si tu as envie de nous donner
tes impressions sur la série
ou de nous parler de **tes propres voyages**
réels ou imaginaires,
n'hésite pas à nous écrire !

Bayard Éditions
Série Cabane Magique
18, rue Barbès
92128 Montrouge Cedex

N'oublie pas d'écrire
ton nom et ton adresse sur la lettre !